cocina tailandesa

cocina tailandesa

sabores del mundo

JUDY WILLIAMS

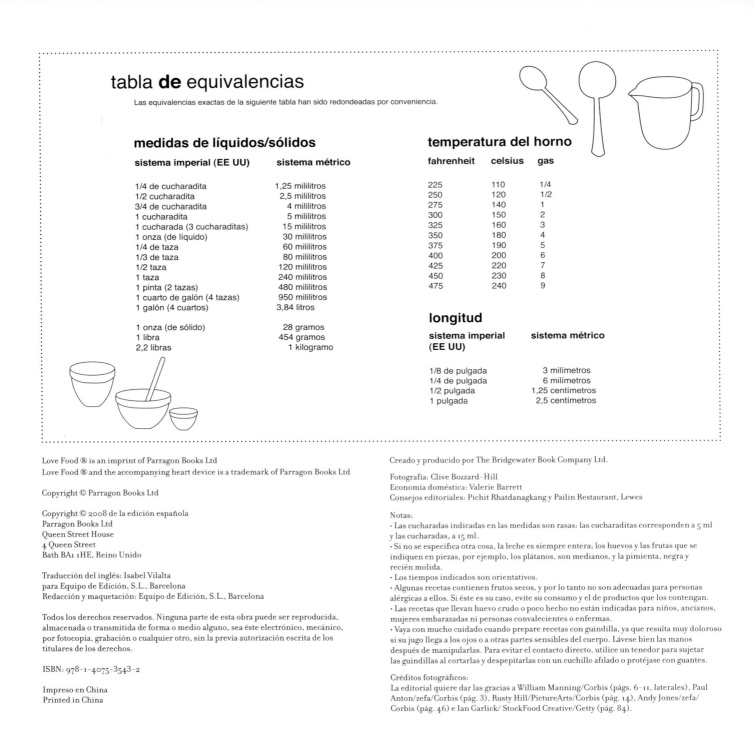

tabla **de** equivalencias

Las equivalencias exactas de la siguiente tabla han sido redondeadas por conveniencia.

medidas de líquidos/sólidos

sistema imperial (EE UU)	sistema métrico
1/4 de cucharadita	1,25 mililitros
1/2 cucharadita	2,5 mililitros
3/4 de cucharadita	4 mililitros
1 cucharadita	5 mililitros
1 cucharada (3 cucharaditas)	15 mililitros
1 onza (de líquido)	30 mililitros
1/4 de taza	60 mililitros
1/3 de taza	80 mililitros
1/2 taza	120 mililitros
1 taza	240 mililitros
1 pinta (2 tazas)	480 mililitros
1 cuarto de galón (4 tazas)	950 mililitros
1 galón (4 cuartos)	3,84 litros
1 onza (de sólido)	28 gramos
1 libra	454 gramos
2,2 libras	1 kilogramo

temperatura del horno

fahrenheit	celsius	gas
225	110	1/4
250	120	1/2
275	140	1
300	150	2
325	160	3
350	180	4
375	190	5
400	200	6
425	220	7
450	230	8
475	240	9

longitud

sistema imperial (EE UU)	sistema métrico
1/8 de pulgada	3 milímetros
1/4 de pulgada	6 milímetros
1/2 pulgada	1,25 centímetros
1 pulgada	2,5 centímetros

Love Food ® is an imprint of Parragon Books Ltd
Love Food ® and the accompanying heart device is a trademark of Parragon Books Ltd

Copyright © Parragon Books Ltd

Copyright © 2008 de la edición española
Parragon Books Ltd
Queen Street House
4 Queen Street
Bath BA1 1HE, Reino Unido

Traducción del inglés: Isabel Vilalta
para Equipo de Edición, S.L., Barcelona
Redacción y maquetación: Equipo de Edición, S.L., Barcelona

Todos los derechos reservados. Ninguna parte de esta obra puede ser reproducida, almacenada o transmitida de forma o medio alguno, sea éste electrónico, mecánico, por fotocopia, grabación o cualquier otro, sin la previa autorización escrita de los titulares de los derechos.

ISBN: 978-1-4075-3543-2

Impreso en China
Printed in China

Creado y producido por The Bridgewater Book Company Ltd.

Fotografía: Clive Bozzard-Hill
Economía doméstica: Valerie Barrett
Consejos editoriales: Pichit Rhatdanagkang y Pailin Restaurant, Lewes

Notas:
· Las cucharadas indicadas en las medidas son rasas: las cucharaditas corresponden a 5 ml y las cucharadas, a 15 ml.
· Si no se especifica otra cosa, la leche es siempre entera; los huevos y las frutas que se indiquen en piezas, por ejemplo, los plátanos, son medianos, y la pimienta, negra y recién molida.
· Los tiempos indicados son orientativos.
· Algunas recetas contienen frutos secos, y por lo tanto no son adecuadas para personas alérgicas a ellos. Si éste es su caso, evite su consumo y el de productos que los contengan.
· Las recetas que llevan huevo crudo o poco hecho no están indicadas para niños, ancianos, mujeres embarazadas ni personas convalecientes o enfermas.
· Vaya con mucho cuidado cuando prepare recetas con guindilla, ya que resulta muy doloroso si su jugo llega a los ojos o a otras partes sensibles del cuerpo. Lávese bien las manos después de manipularlas. Para evitar el contacto directo, utilice un tenedor para sujetar las guindillas al cortarlas y despepitarlas con un cuchillo afilado o protéjase con guantes.

Créditos fotográficos:
La editorial quiere dar las gracias a William Manning/Corbis (págs. 6-11, laterales), Paul Anton/zefa/Corbis (pág. 3), Rusty Hill/PictureArts/Corbis (pág. 14), Andy Jones/zefa/Corbis (pág. 46) e Ian Garlick/ StockFood Creative/Getty (pág. 84).

Contenido

Introducción

¡Tailandia! Tan sólo pronunciar el nombre de este maravilloso país nos evoca lo lejano y lo exótico... y la realidad ciertamente está a la altura de la impresionante reputación de la que goza en todo el mundo, con su gran variedad de obras arquitectónicas, su fascinante historia, su exuberante paisaje y la incomparable amabilidad de su gente. Afortunadamente, hoy Tailandia está más cerca que nunca, y no somos pocos los que hemos podido disfrutar del país, de sus incontables maravillas y, sobre todo, de su fantástica cocina. La gastronomía tailandesa es una de las más vibrantes de Asia, con sabores intensos y frescos. Es una cocina muy variada en la que podemos encontrar desde platos picantes aderezados con guindilla, hasta recetas con hojas de lima de sabor más ácido o comidas más cremosas a base de coco.

Tailandia cuenta con diferentes regiones, en las que encontramos una gran riqueza de alimentos y de métodos de cocción, en función del clima, los productos que allí se cultivan y los recursos naturales. El norte de Tailandia es la zona en la que crece la mayor parte del trigo que se consume en el país y donde menos posibilidades hay de encontrar leche de coco, por lo que sus currys tienen una consistencia relativamente ligera. En cambio, las palmeras de los bosques tropicales del sur producen grandes cantidades de coco, por lo que la leche que se obtiene de este fruto es un elemento esencial en la dieta de los habitantes de la zona. La región central es la más llana del país y es donde se cultiva la mayor parte del arroz, así como una gran variedad de frutas y hortalizas. Tradicionalmente, los habitantes de las zonas más pobres, sobre todo del nordeste, utilizaban caracoles, saltamontes, huevos de hormiga y animales salvajes en su cocina.

Por suerte, no tenemos que ir hasta Tailandia para poder disfrutar de su cocina, pues las tiendas de comida especializada y algunos supermercados ofrecen muchos productos tailandeses, como especias, condimentos, salsas o arroces.

Utensilios necesarios

La cocina tailandesa no requiere demasiados utensilios de cocina especiales, por lo que le resultará fácil preparar las recetas de este libro. No obstante, hay unos cuantos objetos esenciales que deberá tener a mano.

La mayoría de los platos tailandeses se preparan en el wok. Estas sartenes hondas tradicionalmente estaban hechas de acero y debían secarse y engrasarse para que se mantuvieran en buen estado. Sin embargo, actualmente se pueden adquirir muchos tipos de wok, incluso antiadherentes, que se encuentran con facilidad en tiendas de menaje. Elija un wok de buena calidad y grande para poder saltear con comodidad todos los ingredientes y con capacidad suficiente para incorporar la salsa. Si no tiene wok, también puede usar una sartén grande y honda.

Un robot de cocina resulta muy útil para preparar pastas de curry y pasteles de pescado, que requieren texturas muy finas.

Aunque puede utilizar los cuchillos de cocina comunes para preparar los ingredientes, una cuchilla de estilo oriental es una herramienta muy útil para cortar las hortalizas en bastoncillos y la carne en lonchas finas o en dados, o para quitar la piel del pescado. Si no cuenta con este tipo de cuchillo, asegúrese de que los que utilice estén bien afilados.

También necesitará el espacio suficiente para poder preparar los múltiples ingredientes que se utilizan en los platos tailandeses. Asimismo es muy práctico disponer de varias tablas de cortar.

Ingredientes indispensables

Coco

En la cocina tailandesa se usa leche o crema de coco —en vez de leche, nata o queso— para enriquecer y dar consistencia a los platos. La crema de coco se encuentra generalmente en bloques y necesita disolverse en agua hirviendo antes de ser utilizada, a diferencia de la leche de coco, que encontramos líquida en latas. Es recomendable agitarlas antes de abrirlas, pues la parte sólida se separa de la líquida. El caldo también se utiliza con frecuencia en la cocina tailandesa, a menudo en combinación con la leche de coco. En algunas recetas, los ingredientes se cuecen directamente en el caldo o en la leche de coco sin que necesiten ningún tipo de cocción previa. Esto permite que las carnes rojas o las blancas resulten muy tiernas y sabrosas. Los caldos pueden ser caseros, comprados listos para usar, o preparados disolviendo pastillas de caldo en agua hirviendo.

Aceite

Utilice aceite de cacahuete o aceite vegetal para salteados o frituras, ya que este aceite resiste temperaturas muy elevadas. No es recomendable usar aceite de oliva, pues se quemaría antes de que llegara a estar lo suficientemente caliente; lo mismo ocurre con el aceite de sésamo, que se suele añadir a los adobos o durante la cocción en pequeñas cantidades, pues tiene un aroma muy intenso que podría llegar a ocultar el sutil sabor de algunos platos.

Arroz y fideos

Todos los platos principales tailandeses se sirven acompañados de arroz o fideos. Los fideos de huevo se cuecen en agua hirviendo ligeramente salada y el tiempo de cocción varía en función del grosor. Una vez escurridos, deberá mezclarlos con un poco de aceite de sésamo o salsa de soja, para evitar que se peguen. No obstante, cuando se sirvan mezclados con otros alimentos que lleven salsa, ésta ayudará a separarlos. Los fideos de arroz son más transparentes y también se encuentran disponibles en distintos grosores. Se suelen preparar sumergiéndolos en una olla de agua hirviendo y se dejan unos minutos, tapados, antes de escurrirlos.

El arroz jazmín y el arroz basmati son las dos variedades más utilizadas en la cocina tailandesa. Se trata de arroces de grano largo muy aromáticos. El arroz jazmín queda algo pegajoso una vez hervido, mientras que el arroz basmati siempre se mantiene firme y suelto. En todas las recetas se indica cómo prepararlo, pero compruebe siempre las instrucciones del envase.

Condimentos básicos

Guindilla

Hay muchas variedades de guindillas, de diferentes formas, tamaños y gustos. Puede empezar a preparar sus platos con las guindillas rojas y verdes alargadas de mayor tamaño, que se encuentran fácilmente y son las de sabor más suave. No dude en reducir la cantidad de guindilla en una receta si no le gusta la comida muy picante. Siga la misma recomendación con el ajo, pero no lo elimine por completo, ya que alteraría el resultado final.

Salsa de pescado tailandesa

Este condimento, muy usado en la cocina tailandesa, está hecho a base de pescados y gambas fermentados al sol. Es muy salado y tiene un aroma muy fuerte, así que utilícelo con moderación.

Azúcar de palma

Este azúcar se produce a partir de las flores de la palmera y no es tan dulce como los azúcares de caña. Se puede sustituir por azúcar moreno suave.

Cilantro

El cilantro, con su brillante color verde y su sabor fresco y perfumado, es la hierba aromática más utiliza en la cocina tailandesa. Use tanto los tallos como las hojas. Busque cilantro que aún conserve las raíces, tal como lo venden en las tiendas de comida oriental, ya que ello nos asegura que conserva todo el sabor. Es imprescindible en la preparación de pastas de curry.

Albahaca tailandesa

También conocida como albahaca sagrada, la albahaca tailandesa es una planta de maravilloso aroma con hojas más largas y más delgadas que la albahaca europea. Tiene un ligero sabor anisado, lo que da un toque especial a los platos. Si no la encuentra, use albahaca común.

Hojas de lima kafir

Estas brillantes hojas de color verde oscuro tienen un refrescante sabor cítrico, lo que da una intensidad distintiva a los platos tailandeses. Las hojas frescas tienen un sabor mucho más pronunciado e intenso que las secas.

Limoncillo

El limoncillo, que tiene un áspero sabor a limón, es otra de las hierbas aromáticas que se encuentran muy presentes en la cocina tailandesa. Deberá desechar las hojas más externas y utilizar las partes blandas interiores para picarlas. Una forma de intensificar el sabor de esta hierba es machacándola antes de añadirla a los platos, pero no olvide retirar los tallos antes de servirlos.

Wonton y rollitos de primavera

Desde hace algún tiempo podemos encontrar fácilmente láminas de pasta para wonton y para una gran variedad de rollitos de primavera. Mientras los esté preparando, mantenga las láminas que no esté utilizando cubiertas con film transparente, ya que se secan muy rápido. Una vez preparados, puede congelar los wonton y los rollitos y tenerlos listos en cualquier momento.

Pastas de curry

En la mayoría de los platos tailandeses se usa alguna de las variedades de pasta de curry que existen, entre las que encontramos la verde y la roja —las más utilizadas en este libro—, la amarilla, la de Masaman y la Panang. Se trata de pastas suaves y espesas con un sabor muy fuerte, así que cada plato sólo necesitará una pequeña cantidad. Se suelen encontrar en algunos supermercados, pero son las pequeñas tiendas de comida oriental las que tienen los productos más auténticos. No obstante, es fácil prepararlas.

Pasta de curry verde

1 cucharada de semillas de cilantro

1 cucharada de semillas de comino

12 guindillas verdes picadas de la variedad padi

5 dientes de ajo picados

2 tallos de limoncillo picados

5 hojas frescas de lima kafir picadas

1 puñado de cilantro picado

la ralladura de 1 lima

1 cucharadita de sal

1 cucharadita de pimienta en grano majada

Caliente una sartén en el fuego. Eche las semillas de cilantro y de comino y tuéstelas a fuego medio. Sacuda la sartén cada 2 o 3 minutos o hasta que las semillas empiecen a estallar. Triture las semillas tostadas junto con todos los ingredientes restantes en el robot de cocina hasta obtener una pasta espesa y suave. La pasta puede conservarse en un tarro de cristal con tapa de rosca en el frigorífico hasta una semana.

Pasta de curry rojo

1 cucharada de semillas de cilantro

1 cucharada de semillas de comino

12 guindillas rojas secas picadas

2 chalotes picados

6 dientes de ajo picados

1 trozo de jengibre de unos 2,5 cm pelado y picado

2 tallos de limoncillo picados

4 hojas frescas de lima kafir picadas

1 puñado de cilantro picado

la ralladura de 1 lima

1 cucharadita de sal

1 cucharadita de pimienta en grano majada

Caliente una sartén en el fuego. Eche las semillas de cilantro y de comino y tuéstelas a fuego medio. Sacuda la sartén hasta que las semillas empiecen a estallar. Triture las semillas tostadas con los ingredientes restantes en el robot de cocina hasta obtener una pasta espesa y suave. Esta puede conservarse en un tarro de cristal con tapa de rosca en el frigorífico hasta una semana.

Entrantes

La cocina tailandesa nos ofrece un gran abanico de posibilidades para preparar sabrosos y apetecibles entrantes. Muchos de ellos se sirven en paquetitos de pasta crujiente o en esponjosas tortillas, mientras que otros se presentan en forma de pequeñas tartaletas o brochetas, y normalmente se acompañan con una deliciosa salsa.

Si en alguna ocasión tiene muchos invitados, puede preparar una selección de estos pequeños aperitivos, de manera que todos puedan probar distintos platos. Para dos o cuatro personas, prepare sólo una receta, ya que le resultará más fácil, aunque no por ello será menos gratificante para sus invitados.

Paquetitos tailandeses picantes

Kai yad sai talay

Necesitará una sartén antiadherente, de 20 cm de diámetro, de buena calidad para que las tortillas puedan deslizarse con facilidad.

Para 4 personas

Para las tortillas:

4 huevos

2 cucharadas de agua

3 cebolletas picadas

1 puñado de cilantro fresco picado

aceite de cacahuete o aceite vegetal

salsa de soja, para servir

Para el relleno:

3 cebolletas troceadas

225 g de calamares limpios cortados en tiras o anillas

120 g de langostinos pelados y sin el hilo intestinal

120 g de filete de pescado blanco sin piel cortado en dados

1 pak choi troceado

1 cucharada de pasta de curry verde

1 cucharadita de salsa de pescado tailandesa

Precaliente el horno a 190 °C. Para las tortillas, bata los huevos y añada el agua, la cebolleta y la mitad del cilantro. Caliente una cucharada de aceite en una sartén, eche una cuarta parte de la mezcla de huevo y extiéndala por la base. Cocine la tortilla a fuego medio-alto durante 2 minutos o hasta que esté cuajada y, a continuación, dele la vuelta con la ayuda de una espátula y déjela al fuego durante 1 minuto más. Repita el mismo proceso para preparar 3 tortillas más.

Para el relleno, caliente una cucharada de aceite en una sartén, añada la cebolleta, el pescado, los calamares y los langostinos y saltee la mezcla a fuego medio, removiendo con frecuencia, durante 2 o 3 minutos hasta que todo esté en su punto. Triture la mezcla en el robot de cocina hasta que obtenga una pasta homogénea.

Añada el pak choi, el resto del cilantro, la pasta de curry y la salsa de pescado y vuelva a mezclar.

Disponga las tortillas sobre una tabla de cortar y ponga una cuarta parte de la pasta en el centro de cada tortilla. Haga un paquete con la tortilla, doblando cada uno de los lados por encima del relleno. Coloque los paquetitos en una bandeja de horno.

Hornéelos de 10 a 15 minutos hasta que estén ligeramente dorados. Sírvalos enseguida, acompañados con salsa de soja.

Sopa agripicante

Tom yum

Para 4 personas

2 guindillas rojas sin semillas
y picadas

6 cucharadas de vinagre de arroz

1,2 litros de caldo vegetal

2 tallos de limoncillo partidos por
la mitad

4 cucharadas de salsa de soja

1 cucharada de azúcar de palma

el zumo de 1/2 lima

2 cucharadas de aceite de
cacahuete o aceite vegetal

225 g de tofu escurrido y cortado
en daditos

400 g de setas de la paja del arroz
en lata, escurridas

4 cebolletas picadas

1 pak choi pequeño en juliana

Ésta es una sopa tradicional tailandesa muy popular, que se caracteriza por el sabor picante de la guindilla y el toque agrio del vinagre. Puede jugar con uno u otro ingrediente a su gusto.

Mezcle la guindilla y el vinagre en un cuenco, cúbralo y deje reposar la mezcla a temperatura ambiente durante 1 hora.

Mientras tanto, en una olla lleve el caldo a ebullición. Añada el limoncillo, la salsa de soja, el azúcar y el zumo de lima. Baje el fuego y deje hervir de 20 a 30 minutos.

Caliente el aceite en el wok precalentado, añada los daditos de tofu y saltéelos durante 2 o 3 minutos o hasta que estén dorados. A continuación, retírelos del wok con una espumadera y déjelos escurrir sobre papel de cocina.

Incorpore al caldo la guindilla, el vinagre, el tofu, las setas y la mitad de las cebolletas y déjelo cocer durante 10 minutos. Mezcle el resto de las cebolletas con el pak choi y agregue la mezcla a la sopa antes de servirla.

Sugerencia:

Si no encuentra setas de la paja del arroz en lata, utilice champiñones pequeños enteros o champiñones grandes partidos en cuartos.

Albóndigas de cangrejo y cerdo

Tod man moo sai boo

Para 4 personas

Para las albóndigas:

120 g de carne de cangrejo blanco
en lata, escurrido

120 g de carne picada de cerdo

2 guindillas rojas sin semillas
y picadas

1 cucharadita de sal

2 cebolletas picadas

1 puñado de cilantro picado

1 clara de huevo

aceite de cacahuete o aceite vegetal

Para la salsa:

150 ml de agua

4 cucharadas de azúcar extrafino

1 cucharada de vinagre de arroz

1/2 cebolla roja pequeña cortada
en daditos

1 trozo de pepino de 5 cm cortado
en daditos

Estas deliciosas albóndigas pueden prepararse la víspera y guardarse en el frigorífico durante toda la noche para que los sabores se realcen. Tan sólo tendrá que freírlas y las tendrá listas para servir.

Mezcle todos los ingredientes para las albóndigas, excepto el aceite, en el robot de cocina hasta obtener una pasta gruesa. Humedézcase las manos y forme 20 pequeñas bolitas aplanadas con la pasta.

Caliente el aceite necesario para cubrir la base de una sartén grande, eche las albóndigas, en dos o tres tandas, y deje que se frían a fuego medio-alto durante 2 minutos por cada lado o hasta que estén doradas. A continuación, retírelas del wok con una espumadera, déjelas escurrir sobre papel de cocina y manténgalas calientes mientras fríe las demás.

Mientras tanto, para preparar la salsa, ponga el agua, el azúcar y el vinagre en una cazuela pequeña y caliente la mezcla ligeramente hasta que el azúcar se haya disuelto. Añada la cebolla y el pepino y deje hervir a fuego lento 5 minutos. Sirva la salsa caliente o fría en un bol pequeño junto con las albóndigas.

Sugerencia:
Si tiene que preparar una gran cantidad de albóndigas, hágalas en varias veces y colóquelas en una bandeja de hornear. Antes de servirlas, caliéntelas en el horno precalentado.

Langostinos fritos al ajillo

Gung ga tiem

Para 2 personas

2 cucharadas de aceite de cacahuete o aceite vegetal

2 dientes de ajo picados

1/2 cebolla picada

2 cebolletas troceadas

1 pizca de sal

225 g de langostinos pelados y sin el hilo intestinal

3 cucharadas de salsa de soja

1 cucharada de azúcar de palma

1 cucharadita de salsa de pescado tailandesa

1 puñado de cilantro fresco picado

La excelente combinación del sabor de los langostinos con el del ajo hace de este plato un entrante muy popular. Esta receta puede prepararse con langostinos comunes, pero, si es posible, utilice langostinos tigre o gambones, ya que son más sabrosos.

Caliente el aceite en un wok precalentado, eche el ajo, la cebolla y la cebolleta y saltéelo todo a fuego medio-alto durante 30 segundos. Añada el resto de los ingredientes y la mitad del cilantro, y saltéelo todo a fuego vivo sin dejar de remover durante 2 o 3 minutos hasta que los langostinos hayan adquirido un tono rosado.

Retire el wok del fuego, eche el resto del cilantro y sirva el plato enseguida.

Sugerencia:

Para mantener los langostinos calientes durante más tiempo, sírvalos en platos precalentados. Los langostinos, como muchos otros mariscos, deben cocerse durante el mínimo tiempo posible, puesto que así conservan todo su sabor y jugosidad.

Rollitos de primavera con verduras y judías negras

Por pia pak

Para 4 personas

2 cucharadas de aceite de cacahuete o aceite vegetal, más la cantidad necesaria para freír los rollitos

4 cebolletas cortadas en tiras de 5 cm

1 trozo de de jengibre de unos 2,5 cm pelado y picado

1 zanahoria grande pelada cortada en bastoncillos

1 pimiento rojo sin semillas cortado en bastoncillos

6 cucharadas de salsa de judías negras

50 g de brotes de soja

200 g de castañas de agua en lata, escurridas y troceadas

1 trozo de pepino de 5 cm cortado en bastoncillos

8 láminas de pasta de rollitos de primavera de 20 cm de lado

salsa de guindilla dulce para acompañar

Los rollitos de primavera pueden prepararse con muchos tipos de relleno diferentes, así que resulta muy fácil adaptar los ingredientes de la zona donde vivamos a esta receta. Deberá procurar mantener el relleno lo suficientemente seco para que no empape la masa y quede bien crujiente.

Caliente el aceite en el wok precalentado, eche la cebolleta, el jengibre, la zanahoria y el pimiento rojo y saltéelo todo a fuego medio-alto durante 2 o 3 minutos. Añada la salsa de judías negras, los brotes de soja, las castañas de agua y el pepino, saltee la mezcla 1 o 2 minutos más y deje que se enfríe.

Saque la pasta del envase, pero deje las láminas apiladas y cúbralas con film transparente para evitar que se sequen. Coloque una de las láminas de manera que quede frente a usted en forma de rombo y pinte los bordes con agua. Ponga una cucharada de relleno cerca de una de las esquinas, doble la esquina por encima del relleno. Dele una vuelta al rollito y doble las esquinas laterales sobre el relleno. Termine de enrollar el rollito procurando que el relleno quede bien sellado. Repita el mismo proceso con el resto de las láminas y del relleno.

Caliente aceite abundante en el wok a 190 °C o hasta que un dado de pan se dore en unos 30 segundos. Fría los rollitos en varias tandas 2 o 3 minutos hasta que estén crujientes y dorados. A continuación, retírelos del wok con una espumadera, déjelos escurrir sobre papel de cocina y manténgalos calientes mientras prepara los demás. Sírvalos acompañados de salsa de guindilla dulce.

Empanadillas crujientes de cerdo

Kanom jeeb moo grob

Para 4 personas

3 cebolletas troceadas

1 diente de ajo picado

1 guindilla roja fresca pequeña
sin semillas picada

250 g de carne de cerdo picada

1 cucharadita de sal

20 láminas de pasta para wonton

aceite de cacahuete o aceite vegetal
para freír

Si lo prefiere, estas empanadillas pueden cocerse al vapor y, a continuación, asarse a la parrilla, pero son más rápidas de preparar y más crujientes si se fríen en abundante aceite.

Triture la cebolleta, el ajo, la guindilla, la carne picada y la sal en el robot de cocina hasta obtener una pasta fina.

Saque la pasta del envase, pero deje las láminas apiladas y cúbralas con film transparente para evitar que se sequen. Coloque una de las láminas de manera que quede frente a usted en forma de rombo y pinte los bordes con agua. Ponga una pequeña cantidad de relleno cerca de una de las esquinas y doble la lámina de manera que cubra el relleno. Presione bien los bordes para sellar la empanadilla y dele forma de semicírculo. Repita el mismo proceso con el resto de la pasta y del relleno.

Caliente aceite abundante en el wok a 190 °C o hasta que un dado de pan se dore en 30 segundos. Fría las empanadillas, en tandas, 1 minuto o hasta que estén crujientes y dorados. A continuación, retírelos del wok con una espumadera, déjelos escurrir sobre papel de cocina y manténgalos calientes mientras fríe los demás. Sírvalos enseguida.

Sugerencia:
Compruebe siempre la temperatura del aceite antes de freír. Si el aceite llega a humear es que está demasiado caliente. En este caso, retire el wok del fuego y deje que se enfríe. No ponga demasiadas empanadillas a la vez, ya que la temperatura del aceite disminuiría y provocaría que las empanadillas absorbiesen demasiado aceite y por lo tanto no quedasen crujientes.

Pinchos de pollo satay
con salsa de cacahuetes

Satay gai

Para 4 personas

Para los pinchos:

4 pechugas de pollo deshuesadas
y sin piel, de unos 120 g cada una,
cortadas en dados de 2 cm

4 cucharadas de salsa de soja

1 cucharada de harina de maíz

2 dientes de ajo picados

1 trozo de jengibre de unos 2,5 cm
pelado y picado

pepino troceado para servir

Para la salsa:

2 cucharadas de aceite de
cacahuete o aceite vegetal

1/2 cebolla picada

1 diente de ajo picado

4 cucharadas de mantequilla
de cacahuete crujiente

4-5 cucharadas de agua

1/2 cucharadita de guindilla molida

Ésta es una versión simplificada de un popular entrante que se sirve en los
restaurantes tailandeses. Adobar el pollo da un toque especial a este delicioso plato.

Ponga los dados de pollo en un plato hondo. Mezcle la salsa de soja, la harina de maíz, el ajo y el jengibre en un bol y échelo por encima del pollo. Cúbralo y déjelo adobar en el frigorífico durante 2 horas como mínimo. Mientras tanto, ponga 12 brochetas de bambú en remojo en agua fría durante 30 minutos como mínimo.

Precaliente el horno a 190 °C. Inserte los dados de pollo en las brochetas de bambú. Caliente una plancha y haga los pinchos a fuego vivo durante 3 o 4 minutos, o hasta que estén dorados por todos los lados. Disponga los pinchos en una bandeja y hornéelos en el horno precalentado entre 5 y 8 minutos hasta que se acaben de cocer.

Para preparar la salsa, caliente el aceite en una cazuela, eche la cebolla y el ajo y rehóguelos a fuego medio durante 3 o 4 minutos sin dejar de remover. Añada la mantequilla de cacahuete, el agua y la guindilla molida y déjelo cocer durante 2 o 3 minutos, hasta que la mezcla se espese.

Sirva los pinchos enseguida acompañados con la salsa y el pepino.

Sugerencia:

Debe tener cuidado con las brochetas de bambú, pues pueden quemarse si no se ponen en remojo o no se cortan los extremos a fin de que no entren en contacto con la plancha o con la bandeja del horno.

Rollitos de langostino

Gung gra borg

Para 4 personas

24 langostinos cocidos pelados, pero con las colas

2 cucharadas de salsa de guindilla dulce

24 láminas de pasta para wonton

aceite de cacahuete o aceite vegetal

Para la salsa:

1 cucharada de aceite de sésamo

3 cucharadas de salsa de soja

1 trozo de jengibre de 1 cm pelado y picado

1 cebolleta picada

La combinación de la masa crujiente y los deliciosos langostinos aderezados con la salsa, que añade un sabor en el que contrastan el dulce y el picante, es todo un acierto.

Mezcle los langostinos y la salsa de guindilla. Saque la pasta del envase, pero deje las láminas apiladas y cúbralas con film transparente para evitar que se sequen. Coloque un langostino en diagonal sobre una de las láminas, a la que previamente habrá pintado los bordes con agua. Envuelva el langostino, pero deje la cola fuera. Repita el mismo proceso hasta terminar con los langostinos.

Caliente aceite abundante en el wok a 190 °C o hasta que un dado de pan se dore en 30 segundos. Fría los rollitos, en tandas, 1 minuto o hasta que estén crujientes y dorados. A continuación, retírelos del wok con una espumadera, déjelos escurrir sobre papel de cocina y manténgalos calientes mientras fríe los demás.

Para preparar la salsa, mezcle el aceite de sésamo, la salsa de soja, el jengibre y la cebolleta. Sírvala en boles como acompañamiento.

Alitas de pollo adobadas

Peek gai ob

Comer con los dedos puede resultar una experiencia especialmente gratificante, y estas alitas adobadas y dulces son una exquisita manera de comprobarlo. Asegúrese de tener muchas servilletas a mano y un cuenco con agua en el que sus invitados puedan enjuagar sus dedos.

Para 4 personas

12 alitas de pollo

3 cucharadas de tomate triturado

3 cucharadas de salsa de soja

1 cucharada de azúcar de palma

2 cucharadas de salsa de guindilla dulce

225 g de arroz jazmín

2 cucharadas de vinagre de arroz

unas hojas de albahaca tailandesa fresca, cortadas, y unas cuantas enteras para decorar

aceite de cacahuete o aceite vegetal

Corte las puntas de las alitas y colóquelas en una bandeja de horno.

Mezcle el tomate triturado, la salsa de soja, el azúcar y la salsa de guindilla dulce en un bol y eche la mezcla por encima de las alitas con una cuchara. Cúbralas y déjelas adobar en el frigorífico durante 3 horas o toda la noche.

Mientras tanto, cueza el arroz en agua hirviendo ligeramente salada entre 12 y 15 minutos hasta que esté cocido, o según las instrucciones del envase. Escúrralo, échelo de nuevo dentro de la cazuela y añada el vinagre y la albahaca picada.

Forre una bandeja cuadrada de 20 cm con papel transparente. Con el arroz, forme una capa de unos 2,5 cm de altura, presionándolo bien. Cúbralo y deje que se enfríe en el frigorífico mientras las alitas de pollo se estén

adobando. Una vez frío, dé la vuelta a la bandeja, corte el arroz en dados de 2,5 cm y resérvelo.

Precaliente el horno a 200 °C. Ase las alitas de pollo entre 30 y 35 minutos, o hasta que estén ligeramente doradas, untuosas y tiernas. Para comprobar que las alitas están en su punto, inserte un palillo en la parte más gruesa de la carne, el jugo debe salir claro.

Mientras tanto, caliente un poco de aceite en una cazuela, eche las hojas de albahaca enteras y saltéelas, sin dejar de remover, durante algunos segundos o hasta que estén crujientes. Sirva las alitas de pollo acompañadas con los dados de arroz y con las hojas de albahaca crujientes por encima.

Wonton de cangrejo

Kaiw phoo

Para 4 personas

1 cucharada de aceite de cacahuete o aceite vegetal, más la cantidad necesaria para freír

1 trozo de jengibre de unos 2,5 cm pelado y picado

1/4 de pimiento rojo sin semillas y picado

1 puñado de cilantro picado

1/4 de cucharadita de sal

150 g de carne de cangrejo blanco en lata, escurrido

20 láminas de pasta para wonton

salsa de soja o salsa de guindilla dulce para servir

El sabor dulce de la carne de cangrejo combinado con la textura crujiente del pimiento rojo hacen de estos pequeños paquetitos una deliciosa sorpresa.

Caliente el aceite en el wok precalentado, eche el jengibre y el pimiento rojo y saltéelo todo durante 30 segundos. Añada el cilantro, mézclelo todo bien y deje enfriar. Sazone, agregue la carne de cangrejo y mézclelo.

Saque la pasta del envase, pero deje las láminas apiladas y cúbralas con film transparente para evitar que se sequen. Coloque una cucharadita de la mezcla en el centro de una lámina, a la que previamente habrá pintado los bordes con agua. Cierre la lámina con el relleno en su interior formando un triángulo. Presione los bordes para sellar la masa. Doble cada esquina lateral hasta la esquina superior para formar un pequeño paquetito y pinte los bordes con agua si fuera necesario. Repita el mismo proceso con el resto de la pasta y del relleno.

Caliente aceite abundante en el wok a 190 °C o hasta que un dado de pan se dore en 30 segundos. Eche los wonton, en tandas, y fríalos durante 1 minuto o hasta que estén crujientes y dorados. A continuación, retírelos del wok con una espumadera, déjelos escurrir sobre papel de cocina y manténgalos calientes mientras fríe los demás. Sírvalos acompañados con salsa de soja o salsa de guindilla dulce.

Sugerencia:

Si encuentra carne de cangrejo fresca, es preferible a la envasada por su sabor; no obstante, la de lata es siempre más fácil de manipular.

Platos principales

Los currys son los más conocidos de los distintos platos principales de la cocina tailandesa. Las recetas que encontrará en este libro incluyen desde un clásico curry verde de pollo o el tradicional curry de Masaman con ternera, cacahuetes y patatas, hasta un delicado curry de pescados variados y coco. No obstante, la gastronomía tailandesa nos brinda un sinfín de platos igual de apetitosos, como los aromáticos salteados o el irresistible pato asado crujiente que se sirve con ciruelas encurtidas.

Cuando tenga que cocinar para muchos invitados, es una buena idea acompañar uno de estos platos principales con una de las recetas del capítulo Arroces y fideos o de alguno de los crujientes entrantes.

Kebab de rape con pimientos rojos y langostinos

Mai talay

Para 4 personas

2 pimientos rojos sin semillas cortados a tiras gruesas

350 g de cola de rape

el zumo de $^1/_2$ lima

1 cucharadita de pasta de curry rojo

1 manojo de cilantro picado, más unas ramitas para decorar

225 g de langostinos sin pelar

arroz blanco y verduras salteadas para acompañar

La firme consistencia del rape y su excelente capacidad para absorber los aromas del adobo lo convierten en un pescado ideal para preparar estos deliciosos kebab.

Ponga 12 brochetas de bambú en remojo en agua fría durante 30 minutos como mínimo. Mientras tanto, coloque los pimientos rojos cortados con el lado de la piel hacia arriba en una bandeja de horno y áselos bajo el gratinador precalentado entre 5 y 8 minutos o hasta que la piel esté ennegrecida. Deje que se enfríen, quíteles la piel y córtelos en dados de 2,5 cm.

Deseche la membrana gris del rape. Haga un corte a cada lado de la raspa central para obtener dos filetes alargados. Córtelos en dados de 2,5 cm.

Mezcle el zumo de lima, la pasta de curry y el cilantro en un cuenco. Incorpore el pescado y dele vueltas para que quede bien cubierto. Inserte alternativamente los trozos de pimiento, el rape y los langostinos en las brochetas de bambú. Cúbralos y déjelos adobar en el frigorífico durante 30 minutos como mínimo.

Ase los kebab en una plancha caliente a fuego medio-alto o con el gratinador precalentado a temperatura media-alta durante 4 o 5 minutos hasta que estén dorados. Decórelos con las ramitas de cilantro y sírvalos enseguida sobre una base de arroz con verduras salteadas.

Curry verde de pollo

Gang kaiw wan gai

Éste es un plato tailandés muy popular, fácil de preparar y de fantástico sabor. El pollo resulta deliciosamente tierno así preparado y las hojas de lima aportan un delicado toque ácido a la salsa.

Para 4 personas

2 cucharadas de aceite de cacahuete o aceite vegetal

4 cebolletas troceadas

2 cucharadas de pasta de curry verde

700 ml de leche de coco

1 pastilla de caldo de ave

6 pechugas de pollo deshuesadas y sin piel, de unos 120 g cada una, cortadas en dados de 2,5 cm

1 puñado de cilantro picado

1 cucharadita de sal

arroz blanco o fideos para acompañar

Caliente el aceite en el wok precalentado y saltee la cebolleta durante 30 segundos o hasta que empiecen a ablandarse.

Añada la pasta de curry, la leche de coco y la pastilla de caldo y llévelo todo a ebullición a fuego lento, removiendo de vez en cuando. Incorpore el pollo, la mitad del cilantro y la sal y remueva bien. Baje el fuego y prosiga con la cocción entre 8 y 10 minutos más, hasta que el pollo esté tierno. Incorpore el cilantro restante. Sirva el plato acompañado de arroz o fideos.

Sugerencia:

Utilice pasta de curry rojo si prefiere que el plato resulte más picante. También puede añadir otras verduras de temporada a la salsa de leche de coco.

Ternera picante con salsa de judías negras

Nue pud tao jaiw

La sabrosa salsa de judías negras combina a la perfección con la ternera y las setas shiitake, y las mazorquitas añaden sabor, textura y color a este apetitoso plato.

Para 2 personas

2 cucharadas de aceite de cacahuete o aceite vegetal

2 cebollas cortadas en gajos

2 dientes de ajo picados

1 cucharadita de pimienta

450 g de filete de ternera en tiras gruesas

50 g de mazorquitas partidas por la mitad a lo largo

120 g de setas shiitake en láminas gruesas

6 cucharadas de salsa de soja

125 g de salsa de judías negras

1 cucharadita de azúcar de palma

cilantro fresco picado para decorar

fideos de huevo para acompañar

Caliente el aceite en el wok precalentado y saltee la cebolla durante 2 o 3 minutos hasta que empiecen a ablandarse.

Incorpore el ajo y la pimienta y mézclelo bien. A continuación, añada la ternera, las mazorquitas y las setas y saltéelo a fuego vivo durante 2 o 3 minutos. Eche la mitad de la salsa de soja, la salsa de judías negras y el azúcar y continúe con la cocción 1 o 2 minutos más.

Sirva el plato enseguida con los fideos de huevo mezclados con el resto de la salsa de soja y decorado con cilantro picado.

Sugerencia:

También puede servir este plato acompañado de arroz frito con huevo o de arroz al cilantro, las dos combinaciones resultan deliciosas.

Langostinos con guindilla y fideos al ajo

Guay taiw phud gung

Para 4 personas

Para los langostinos:

200 g de langostinos cocidos pelados y sin el hilo intestinal

4 cucharadas de salsa de guindilla dulce

4 cucharadas de aceite de cacahuete o aceite vegetal

4 cebolletas picadas

50 g de tirabeques partidos por la mitad en diagonal

1 cucharada de pasta de curry rojo

400 ml de leche de coco

50 g de brotes de bambú escurridos

50 g de brotes de soja

Para los fideos al ajo:

120 g de fideos de huevo medianos

2 dientes de ajo machacados

1 puñado de cilantro picado

Les ofrecemos aquí un plato picante y especiado para los amantes de la guindilla. Los crujientes tirabeques y brotes de soja son un excelente complemento a los sabores picantes.

Mezcle los langostinos y la salsa de guindilla en un cuenco. Cúbralos y resérvelos.

Caliente la mitad del aceite en el wok precalentado, eche la cebolleta y los tirabeques y saltéelo todo a fuego medio-alto durante 2 o 3 minutos. Añada la pasta de curry y mézclelo bien. Vierta la leche de coco y llévelo todo a ebullición a fuego lento, removiendo de vez en cuando. Agregue los brotes de bambú y de soja y prosiga con la cocción durante 1 minuto sin dejar de remover. Incorpore los langostinos y la salsa de guindilla, baje el fuego y continúe con la cocción durante 1 o 2 minutos más.

Mientras tanto, cueza los fideos en agua hirviendo ligeramente salada durante 4 o 5 minutos hasta que estén tiernos, o según las instrucciones del envase. Escúrralos y échelos de nuevo a la cazuela.

Caliente el aceite restante en una sartén antiadherente, eche el ajo y saltéelo a fuego vivo durante 30 segundos. Añádalo a los fideos ya escurridos junto con la mitad del cilantro y mézclelo bien.

Reparta los fideos en 4 cuencos, agregue la mezcla de langostinos y guindilla y sírvalos enseguida, decorados con el resto del cilantro.

Pato asado crujiente con ciruelas encurtidas

Ped grob gap plum dong

Para 4 personas

Para el pato:

4 pechugas de pato deshuesadas de unos 175 g cada una

3 cebolletas picadas

2 dientes de ajo picados

4 cucharadas de salsa de ostras

1 cucharada de aceite de cacahuete o aceite vegetal

fideos cocidos y verduras salteadas para acompañar

Para las ciruelas encurtidas:

50 g de azúcar extrafino

4 cucharadas de vinagre de vino blanco

1 guindilla roja fresca sin semillas y picada

1/2 cucharadita de sal

4 ciruelas deshuesadas partidas en cuartos

Puede que no estemos acostumbrados a la mezcla del sabor dulce de las ciruelas con el sabor agrio del vinagre, pero en verdad resultan un acompañamiento sorprendente para muchos platos como por ejemplo las carnes frías; no obstante, tenga siempre presente que son sabores muy intensos.

Haga unos cuantos cortes en la piel de las pechugas de pato. Mezcle la cebolleta, el ajo y la salsa de ostras en un bol y eche la mezcla sobre la piel del pato asegurándose de que queda bien impregnado. Cubra las pechugas y déjelas adobar en el frigorífico durante 1 hora.

Mientras tanto, para preparar las ciruelas encurtidas, ponga todos los ingredientes, excepto las ciruelas, en un cazo y cueza la mezcla a fuego lento entre 10 y 15 minutos. Añada las ciruelas, prosiga con la cocción durante 5 minutos más hasta que empiecen a ablandarse y déjelas enfriar. Precaliente el horno a 200 °C.

Caliente el aceite en una sartén, eche las pechugas con el lado de la piel hacia abajo y áselas 2 o 3 minutos hasta que estén doradas.

Coloque las pechugas de pato en una bandeja de horno y áselas entre 10 y 15 minutos. Retírelas del horno, cúbralas con papel de aluminio y déjelas reposar durante 10 minutos.

Sirva las pechugas de pato con las ciruelas encurtidas, acompañadas con fideos y verduras salteadas.

Pollo al jengibre con anacardos y cebolleta

Gai phad met ma muang

Para 4 personas

1 trozo de jengibre de unos 7,5 cm pelado y picado

6 pechugas de pollo deshuesadas sin piel, de unos 120 g cada una, cortadas en dados de 2,5 cm

2 cucharadas de aceite de sésamo

4 cucharadas de aceite de cacahuete o aceite vegetal

1 cebolla en rodajas finas

2 dientes de ajo machacados

120 g de champiñones en láminas

1 cucharadita de sal

¼ de cogollo de col china troceada

1 manojo de cebolletas picadas

4 cucharadas de salsa de soja

1 cucharadita de salsa de pescado tailandesa

1 cucharadita de azúcar de palma

50 g de anacardos sin sal

arroz blanco o fideos cocidos para acompañar

Este plato simple pero sabroso es ideal como almuerzo para llevar, puesto que conserva todo su sabor tanto frío como caliente.

Mezcle el jengibre, los dados de pollo y el aceite de sésamo en un cuenco. Cúbralo y déjelo marinar en el frigorífico durante unas 2 o 3 horas.

Caliente 3 cucharadas de aceite en el wok precalentado y saltee la cebolla y el ajo a fuego medio durante 2 o 3 minutos. Agregue el pollo y saltee a fuego vivo durante 2 o 3 minutos más. Añada los champiñones, la sal, la col china y la mitad de la cebolleta y siga salteando durante 3 o 4 minutos. Incorpore la salsa de soja, la salsa

de pescado y el azúcar y continúe con la cocción 2 o 3 minutos más.

Mientras tanto, caliente el aceite de cacahuete o aceite vegetal restante en otro wok precalentado. Añada los anacardos y la otra mitad de la cebolleta y saltee la mezcla a fuego vivo durante 1 minuto o hasta que los anacardos estén dorados y la cebolletas, crujientes. Espárzalos sobre el pollo antes de servirlo acompañado de arroz o fideos.

Kebab de carne picada de cerdo con salsa de guindilla dulce

Moo kebab gab nam prik samrot

Para 4 personas

1 cebolla grande picada

2 dientes de ajo machacados

450 g de carne picada de cerdo

1 cucharadita de sal

2 cucharadas de salsa de guindilla dulce, más unas cucharadas para servir

1 puñado de cilantro picado, más unas ramitas para decorar

1 huevo

arroz frito con huevo para acompañar

Estos deliciosos kebab se convertirán en la estrella de la cena si se colocan cruzados sobre una base de arroz y se decoran con unas ramitas de cilantro fresco.

Mezcle todos los ingredientes, excepto el arroz, en el robot de cocina hasta obtener una pasta gruesa.

Divida la masa de carne picada en 8 partes iguales. Humedézcase las manos y apriete cada una de las porciones alrededor de una brocheta de metal para obtener 8 kebab. Cúbralos y déjelos enfriar en el frigorífico durante 1 hora como mínimo.

Ase los kebab en una plancha a fuego vivo o bajo el gratinador del horno precalentado a temperatura alta durante 5 o 6 minutos hasta que estén dorados. Sírvalos enseguida sobre una base de arroz frito con huevo con salsa de guindilla dulce y, si lo desea, decorados con ramitas de cilantro fresco.

Sugerencia:
Humedézcase las manos con agua fría para evitar que la carne se pegue a la piel cuando dé forma a los kebab.

Pescado variado con curry de coco

Gang talay

Para 4 personas

2 cucharadas de aceite de
cacahuete o aceite vegetal

6 cebolletas en tiras de 2,5 cm

1 zanahoria grande cortada en tiras

50 g de judías verdes troceadas

2 cucharadas de pasta de curry rojo

700 ml de leche de coco

225 g de filete de pescado blanco
sin piel, cortado en dados de 2,5 cm

225 g de calamares cortados
en anillas gruesas

225 g de langostinos pelados
y sin el hilo intestinal

50 g de brotes de soja

120 g de fideos de arroz,
preparados según las instrucciones
del envase

1 puñado de cilantro picado

1 puñado de hojas de albahaca
tailandesa para decorar

El coco y el pescado se complementan muy bien. Esta receta realza el sabor de ambos y la albahaca tailandesa les añade un maravilloso toque fresco.

Caliente el aceite en el wok precalentado, eche la cebolleta, la zanahoria y las judías verdes y saltéelas a fuego medio-alto 2 o 3 minutos.

Incorpore la pasta de curry y vierta la leche de coco. Llévelo todo a ebullición a fuego lento, removiendo de vez en cuando. Baje el fuego y prosiga con la cocción 2 o 3 minutos más.

A continuación, añada el pescado, el marisco y los brotes de soja y déjelo cocer a fuego lento durante 2 o 3 minutos.

Agregue los fideos hervidos y el cilantro y continúe con la cocción durante 1 minuto. Sirva el plato enseguida, decorado con la albahaca.

Curry de Masaman

Gang masaman

Para 4 personas

2 cucharadas de aceite de cacahuete o aceite vegetal

225 g de chalotes troceados

1 diente de ajo machacado

450 g de ternera cortada en dados de 2,5 cm

2 cucharadas de pasta de curry Masaman

3 patatas cortadas en dados de 2,5 cm

400 ml de leche de coco

2 cucharadas de salsa de soja

150 ml de caldo de ternera

1 cucharadita de azúcar de palma

85 g de cacahuetes sin sal

1 puñado de cilantro picado

arroz blanco o fideos cocidos para acompañar

Éste es un plato tradicional tailandés que combina el sabor de las patatas y los cacahuetes con el de la ternera, con un resultado espléndido.

Caliente el aceite en el wok precalentado, eche el chalote y el ajo y saltéelos a fuego medio-alto durante 1 o 2 minutos. Añada la ternera y la pasta de curry y saltéelo todo a fuego vivo durante 2 o 3 minutos hasta que la carne esté dorada. Agregue las patatas, la leche de coco, la salsa de soja, el caldo y el azúcar y llévelo todo a ebullición a fuego lento, removiendo de vez en cuando. Baje el fuego y prosiga con la cocción durante 10 minutos hasta que las patatas estén cocidas.

Mientras tanto, caliente una sartén y tueste los cacahuetes a fuego medio-alto 2 o 3 minutos, hasta que estén dorados. Añádalos al curry junto con el cilantro y mézclelo. Sirva el curry caliente acompañado de arroz o fideos.

Sugerencia:

Para que la piel de los chalotes pueda extraerse con facilidad, póngalos en un cuenco refractario, cúbralos con agua hirviendo y déjelos en remojo durante 10 minutos.

Cerdo asado con piña

Moo ob saparot

Para 4 personas

350 g de lomo de cerdo

4 cucharadas de salsa de guindilla dulce

4 cucharadas de salsa de soja

1 cucharadita de azúcar

2 cucharadas de aceite de cacahuete o aceite vegetal

1 cebolla roja en rodajas finas

1 zanahoria pelada cortada en tiras

1 calabacín cortado en tiras

120 g de castañas de agua en lata, escurridas y en láminas

2 rodajas de piña fresca sin corazón troceadas

arroz blanco para acompañar

El sabor a guindilla de la salsa y el dulzor de la piña dan un toque de frescura a este plato que resulta ideal para las calurosas noches de verano.

Coloque el lomo en un plato llano. Mezcle la mitad de la salsa de guindilla, la salsa de soja y el azúcar en un bol y pinte con esta mezcla el lomo de cerdo. Cúbralo y déjelo adobar en el frigorífico durante toda la noche.

Precaliente el horno a 200 °C. Marque la carne en una plancha caliente durante 1 minuto por cada lado. A continuación, pase la carne a una bandeja refractaria y ásela en el horno precalentado entre 15 y 20 minutos o hasta que esté bien hecha. Corte el lomo en lonchas finas y, después, cada loncha en tiras.

Caliente el aceite en el wok precalentado, eche la cebolla, la zanahoria y el calabacín y saltéelo a fuego medio-alto durante 2 o 3 minutos. Añada las castañas de agua, el resto de la salsa de guindilla y los trozos de piña y saltéelo durante 1 minuto. Incorpore la carne y prosiga con la cocción durante 1 minuto más. Sirva el plato enseguida acompañado de arroz.

Sugerencia:

Para esta receta también puede usar piña en conserva si no tiene a mano piña fresca.

Platos vegetarianos

La cocina tailandesa ofrece una nueva forma de combinar hortalizas y frutos, saludable, aromática y colorida, de sorprendentes texturas y sobre todo sabrosa. El tofu, uno de los ingredientes que veremos en las próximas recetas, es una excelente fuente de proteína vegetal y un elemento indispensable en esta cocina que muy a menudo se sirve con verduras. Los anacardos y los cacahuetes, otros de los ingredientes clave, son también muy nutritivos, y aportan una textura y un sabor ideales.

Aunque las verduras que se utilizan en cada receta pueden ser sustituidas por las de temporada, algunas combinaciones, como las patatas con espinacas, deben respetarse para que el plato conserve todas sus cualidades.

Ensalada de coliflor, brócoli y anacardos

Yum dokralam metmamuang

Para 4 personas

2 cucharadas de aceite de cacahuete o aceite vegetal

2 cebollas rojas cortadas en gajos

1 coliflor pequeña en ramitos

1 brócoli pequeño en ramitos

2 cucharadas de pasta de curry amarillo o rojo

400 ml de leche de coco

1 cucharadita de salsa de pescado tailandesa

1 cucharadita de azúcar de palma

1 cucharadita de sal

85 g de anacardos sin sal

1 puñado de cilantro picado, más unas ramitas para decorar

Para que las verduras de este plato conserven su textura, color y propiedades vitamínicas, cocínelas poco tiempo y añada los anacardos en el último momento.

Caliente el aceite en el wok precalentado y saltee la cebolla a fuego medio-alto durante 3 o 4 minutos hasta que empiece a dorarse. Añada la coliflor y el brócoli y prosiga con la cocción durante 1 o 2 minutos más. Incorpore la pasta de curry y saltee la mezcla 30 segundos. A continuación, vierta la leche de coco y la salsa de pescado, y añada el azúcar y la sal. Llévelo todo a ebullición, baje el fuego y continúe con la cocción durante 3 o 4 minutos más.

Mientras tanto, caliente una sartén y tueste los anacardos 2 o 3 minutos, hasta que estén ligeramente dorados. Añádalos al salteado junto con el cilantro, mézclelo bien y sírvalo enseguida decorado con las ramitas de cilantro.

Setas variadas con espinacas y brotes de soja

Pat puk ruamit

Hoy en día podemos encontrar con facilidad muchos tipos distintos de setas. Puede probar diferentes combinaciones con las que conseguirá sorprendentes contrastes de sabor, aroma y textura.

Para 4 personas

2 cucharadas de aceite de cacahuete o aceite vegetal

1 manojo de cebolletas troceadas

1 diente de ajo majado

1 trozo de jengibre de unos 2,5 cm pelado y picado

175 g de setas shiitake partidas por la mitad

175 g de setas de copa cerrada en cuartos

175 g de champiñones pequeños

3 cucharadas de salsa de soja

120 g de espinacas

50 g de brotes de soja

2 cucharadas de salsa de guindilla dulce

fideos o arroz cocidos para acompañar

Caliente el aceite en el wok precalentado y saltee la cebolleta a fuego medio-alto durante 1 o 2 minutos hasta que empiece a dorarse. Añada el ajo y el jengibre y saltee la mezcla durante 1 o 2 minutos más. Incorpore todas las setas y prosiga con la cocción a fuego vivo 2 o 3 minutos hasta que empiecen a ablandarse y a dorarse.

A continuación, agregue la salsa de soja, las espinacas y los brotes de soja y continúe con la cocción durante 2 o 3 minutos hasta que las espinacas pierdan volumen. Incorpore la salsa de guindilla. Sirva el plato enseguida con fideos o arroz.

Sugerencia:
Resulta mucho más económico usar espinacas que debe limpiar usted mismo, pero si no dispone de tiempo suficiente, siempre puede acudir a las envasadas listas para consumir.

Ensalada de verduras salteadas crujientes

Yum puk grob

Para este salteado puede utilizar cualquier tipo de verdura fresca en función de la temporada.

Para 4 personas

2 cucharadas de aceite de cacahuete o aceite vegetal

1 manojo de cebolletas troceadas

1 trozo de jengibre de unos 2,5 cm pelado y picado

2 tallos de limoncillo partidos por la mitad

2 zanahorias peladas y cortadas en tiras

1 brócoli pequeño cortado en ramitos

50 g de mazorquitas de maíz partidas por la mitad a lo largo

50 g de castañas de agua en lata, escurridas

1 cucharada de pasta de curry rojo

225 g de fideos de huevo medianos

4 cucharadas de semillas de sésamo

Caliente el aceite en el wok precalentado, eche la cebolleta, el jengibre y el limoncillo y saltéelo todo a fuego medio-alto durante 2 o 3 minutos hasta que todo empiece a ablandarse. Añada las zanahorias, el brócoli y las mazorquitas de maíz y prosiga con la cocción durante 3 o 4 minutos. A continuación, incorpore las castañas de agua y la pasta de curry, mézclelo bien y cuézalo todo 2 minutos más. Deseche el limoncillo.

Mientras tanto, cueza los fideos en una olla de agua hirviendo ligeramente salada 4 o 5 minutos o según las instrucciones del envase. Escúrralos y échelos de nuevo a la cazuela. Eche las semillas de sésamo y remueva bien.

Agregue los fideos a las verduras salteadas y sírvalos enseguida.

Sugerencia:
Corte todas las verduras en trozos de un tamaño similar, ya que así necesitarán el mismo tiempo de cocción.

Curry de patatas y espinacas

Gang puk

Para 4 personas

4 tomates

2 cucharadas de aceite de cacahuete o aceite vegetal

2 cebollas cortadas en gajos

1 trozo de jengibre de unos 2,5 cm pelado y picado

1 diente de ajo picado

2 cucharadas de cilantro molido

450 g de patatas peladas troceadas

600 ml de caldo vegetal

1 cucharada de pasta de curry rojo

225 g de espinacas

arroz blanco o fideos cocidos para acompañar

Las patatas siempre resultan un acierto como ingrediente de un curry, pero si se combinan con las espinacas el resultado es doblemente acertado. Ésta es una de las combinaciones preferidas de los currys indios y funciona igual de bien en la cocina tailandesa.

Ponga los tomates en un cuenco refractario y cúbralos con agua hirviendo. Déjelos durante 2 o 3 minutos y, a continuación, sumérjalos en agua fría y quíteles la piel. Córtelos en cuartos y deseche las semillas y el corazón. Resérvelos.

Caliente el aceite en el wok precalentado, eche las cebollas, el jengibre y el ajo y saltéelo todo a fuego medio-alto entre 2 y 3 minutos. Añada el cilantro y las patatas y saltee la mezcla durante 2 o 3 minutos. Vierta el caldo, añada la pasta de curry y llévelo todo a ebullición, removiendo de vez en cuando. Baje el fuego y prosiga con la cocción a fuego lento entre 10 y 15 minutos hasta que las patatas estén tiernas.

Añada las espinacas y los tomates y cuézalos durante 1 minuto, sin dejar de remover, hasta que las espinacas pierdan volumen. Sirva el curry acompañado de arroz o fideos.

Pinchos de tofu y calabacín

Tofu tua barbecue

Para 4 personas

225 g de tofu cortado en dados de 2,5 cm

1 cucharada de aceite de cacahuete o aceite vegetal

5 cucharadas de salsa de soja

1 guindilla roja fresca sin semillas en rodajas

1 diente de ajo majado

2 cucharadas de crema de cacahuete crujiente

2 pimientos rojos sin semillas cortados en dados de 2,5 cm

1 calabacín en rodajas gruesas

175 g de fideos de arroz

3 cucharadas de salsa de guindilla dulce

½ pepino picado

50 g de cacahuetes sin sal troceados

1 puñado de cilantro picado para decorar

El tofu absorbe muy bien otros sabores y aromas, pues es un alimento bastante insípido. Es apropiado para hacer pinchos, pues si se cocina con la suficiente rapidez queda firme y entero.

Seque el tofu con papel de cocina. Mezcle el aceite, la salsa de soja, la guindilla, el ajo y la crema de cacahuete en el robot de cocina hasta obtener una pasta homogénea. Pase la pasta a un cuenco e incorpore los dados de tofu. Cúbralo y déjelo adobar en el frigorífico durante 1 hora.

Mientras tanto, ponga 8 brochetas de bambú en remojo en agua fría.

Inserte los dados de tofu, los trozos de pimiento rojo y las rodajas de calabacín, alternándolos, en las brochetas y píntelo todo con el adobo restante. A continuación, ase los pinchos en una plancha caliente a fuego medio-alto o bajo el gratinador precalentado a temperatura media-alta durante 3 o 4 minutos hasta que estén dorados.

Mientras tanto, sumerja los fideos en una olla de agua hirviendo, cúbralos y deje que se hagan durante 4 minutos o según las instrucciones del envase.

Escurra los fideos y páselos a un cuenco. Añada la salsa de guindilla, el pepino y los cacahuetes y remuévalo. Reparta los fideos en 4 platos y coloque 2 pinchos encima de cada uno. Sírvalos enseguida decorados con el cilantro.

Curry de calabaza

Gang butternut

Para 4 personas

2 cucharadas de aceite de cacahuete o aceite vegetal

1 cucharadita de semillas de comino

2 cebollas rojas en rodajas

2 ramas de apio en rodajas

1 calabaza pelada sin semillas troceada

2 cucharadas de pasta de curry verde

300 ml de caldo vegetal

2 hojas frescas de lima kafir

50 g de brotes de soja

1 puñado de cilantro picado para decorar

arroz blanco para acompañar

El brillante color naranja de la calabaza y el tono verde del apio convierten esta receta en un plato lleno de color. Las hojas de lima aportan un intenso sabor cítrico.

Caliente el aceite en el wok precalentado, eche las semillas de comino y saltéelas a fuego medio durante 2 o 3 minutos. Añada las cebollas y el apio y prosiga con la cocción durante 2 o 3 minutos. Incorpore la calabaza y saltéela durante 3 o 4 minutos.

Agregue la pasta de curry, el caldo y las hojas de lima y llévelo todo a ebullición, removiendo de vez en cuando. A continuación, baje el fuego y prosiga con la cocción a fuego lento durante 4 minutos hasta que la calabaza esté tierna.

Eche los brotes de soja y continúe con la cocción durante 2 minutos más. Esparza el cilantro por encima y sirva el curry enseguida acompañado de arroz.

Sugerencia:
Es fácil pelar la calabaza si primero la trocea, ya que su piel es muy dura. Utilice un cuchillo pequeño y afilado en vez de un pelador de verduras.

Curry de berenjena

Gang makua

Para 2 personas

2 cucharadas de aceite de cacahuete o aceite vegetal, más el necesario para freír

2 berenjenas cortadas en dados de 2 cm

1 manojo de cebolletas troceadas

2 dientes de ajo picados

2 pimientos rojos sin semillas y cortados en dados de 2 cm

3 calabacines en rodajas gruesas

400 ml de leche de coco

2 cucharadas de pasta de curry rojo

1 puñado de cilantro picado, más unas ramitas para decorar

arroz blanco o fideos cocidos para acompañar

La combinación de berenjenas, pimientos y calabacines, inspirada en la clásica ratatouille francesa, funciona igual de bien en este delicioso curry.

Caliente abundante aceite en el wok precalentado a 180 o 190 °C o hasta que un dado de pan se dore en 30 segundos. Eche la berenjena y fríala entre 45 segundos y 1 minuto hasta que esté dorada. Retírela del wok con una espumadera y déjela escurrir sobre papel de cocina.

Caliente 2 cucharadas de aceite en otro wok precalentado y saltee la cebolleta y el ajo a fuego medio-alto durante 1 minuto. Añada el pimiento y el calabacín y prosiga con la cocción durante 2 o 3 minutos más. A continuación, agregue la leche de coco y la pasta de curry y llévelo todo a ebullición. Baje el fuego y cuézalo todo removiendo de vez en cuando. Añada las berenjenas y el cilantro y cuézalo a fuego lento durante 2 o 3 minutos.

Sirva el plato enseguida acompañado de arroz o fideos y decorado con cilantro picado.

Ensalada agridulce

Yum puk ruam mit

Para 4 personas

¹/₄ de pepino pelado sin semillas partido por la mitad

50 g de brotes de soja

1 zanahoria grande pelada cortada en tiras

1 pimiento rojo sin semillas cortado en tiras

4-5 hojas de col china en juliana

1 mango deshuesado, pelado y en tiras

unas hojas de albahaca tailandesa troceadas con las manos

Para el aliño:

5 cucharadas de aceite de cacahuete

5 cebolletas picadas

2 cucharadas de vinagre de arroz

1 cucharada de azúcar extrafino

1 guindilla roja fresca pequeña sin semillas y picada

2 cucharadas de zumo de piña

Una combinación de frutas y verduras sorprendente y llena de color que resulta un almuerzo o un entrante ligero y refrescante para los calurosos días de verano.

Para el aliño, ponga todos los ingredientes en un cazo y lleve la mezcla a ebullición. Baje el fuego y déjelo cocer entre 3 y 4 minutos hasta que la cebolleta esté tierna. Déjelo enfriar.

Para preparar la ensalada, ponga todos los ingredientes en una ensaladera, eche el aliño por encima, añada la albahaca y remueva bien.

Sugerencia:
Utilice una cucharilla para despepitar el pepino. Para preparar el mango, corte cada lado a lo largo del hueso. Pele los demás trozos del mango, deseche el hueso y trocee la pulpa.

Curry rojo con verduras variadas

Gang dang puk

Para 4 personas

2 cucharadas de aceite de cacahuete o aceite vegetal

2 cebollas en rodajas finas

1 manojo de espárragos finos

400 ml de leche de coco

2 cucharadas de pasta de curry rojo

3 hojas frescas de lima kafir

225 g de hojas de espinacas tiernas

2 pak choi picados

1 col china pequeña en juliana

1 puñado de cilantro picado

arroz blanco para acompañar

Esta atractiva combinación de brotes verdes y hojas debe cocinarse brevemente para mantener las diferentes texturas de los ingredientes.

Caliente el aceite en el wok precalentado, eche la cebollas y los espárragos y saltéelos a fuego medio-alto durante 1 o 2 minutos.

Agregue la leche de coco, la pasta de curry y las hojas de lima y llévelo todo a ebullición removiendo de vez en cuando. Incorpore las espinacas, el pak choi y la col china y prosiga con la cocción durante 2 o 3 minutos, sin dejar de remover, hasta que las espinacas hayan perdido volumen. Añada el cilantro y mézclelo todo bien. Sirva el curry enseguida acompañado de arroz.

Sugerencia:
Para los no vegetarianos, puede añadir algunos trozos pequeños de pollo o langostinos pelados y cocidos sobre el arroz para acompañar el curry.

Arroces
y fideos

Hasta ahora hemos podido comprobar cómo el arroz o los fideos son ideales para acompañar platos principales. En la cocina tailandesa, para aromatizar el arroz se saltea con aceite y después se cuece con caldo, leche de coco o una mezcla ambos, quedando así cremoso.

Los fideos de huevo y los de arroz se diferencian por el color —los de arroz son más transparentes que los de huevo—, por el sabor y por la textura. Deberá calcular el tiempo de cocción con exactitud, puesto que hay fideos de distintos grosores; a fin de evitar que se peguen tras escurrirlos, enjuáguelos bajo el chorro de agua fría o mézclelos con aceite de cacahuete, de oliva o salsa de soja.

Pad thai

Pad thai

Para 4 personas

225 g de fideos de arroz gruesos

2 cucharadas de aceite de
cacahuete o aceite vegetal

4 cebolletas troceadas

2 dientes de ajo machacados

2 guindillas rojas sin semillas
en rodajas

225 g de filete de cerdo cortado
en lonchas finas

120 g de langostinos cocidos
y pelados

el zumo de 1 lima

2 cucharaditas de salsa de pescado
tailandesa

2 huevos batidos

50 g de brotes de soja

1 puñado de cilantro picado

50 g de cacahuetes sin sal troceados

Este tradicional plato tailandés se puede preparar de muchas formas diferentes, pero siempre debería incluir fideos y cacahuetes. Es importante utilizar fideos de arroz gruesos, puesto que la textura es una parte esencial del éxito de este plato.

Sumerja los fideos en una olla con agua hirviendo ligeramente salada, cúbralos y deje que se hagan durante 10 minutos o según las instrucciones del envase. Escúrralos, enjuáguelos bajo el chorro de agua fría y resérvelos.

Caliente el aceite en el wok precalentado, eche la cebolleta, el ajo y la guindilla y saltéelo todo a fuego medio-alto durante 1 o 2 minutos. Añada la carne de cerdo y prosiga con la cocción durante 1 o 2 minutos hasta que esté dorada.

Incorpore los langostinos, el zumo de lima, la salsa de pescado y los huevos y saltéelo todo a fuego medio durante 2 o 3 minutos o hasta que los huevos hayan cuajado y los langostinos estén cocidos.

Agregue los brotes de soja, casi todo el cilantro, los cacahuetes y los fideos y cuézalo durante 30 segundos sin dejar de remover. Sirva el pad thai enseguida, decorado con el resto del cilantro.

Arroz frito con huevo, langostinos y pimientos

Cow phat gung sai kai

El contraste de colores de los langostinos, los pimientos y el coco hacen de este plato una de las comidas más sugerentes de la cocina tailandesa.

Para 4 personas

Para el arroz:

225 g de arroz jazmín

1 cucharada de aceite de cacahuete o aceite vegetal

2 cebolletas picadas

2 huevos batidos

1 puñado de cilantro picado, más unas ramitas para decorar

Para los langostinos:

50 g de crema de coco

150 ml de agua hirviendo

4 cucharadas de aceite de cacahuete o aceite vegetal

2 guindillas rojas sin semillas picadas

6 cebolletas troceadas

350 g de langostinos cocidos pelados

el zumo de 1/2 limón

6 hojas de albahaca tailandesa

1 cucharada de salsa de pescado tailandesa

1 pimiento rojo sin semillas en tiras

Cueza el arroz en una olla de agua hirviendo ligeramente salada entre 12 y 15 minutos o según las instrucciones del envase. Una vez hecho, enjuáguelo bajo el chorro de agua fría, sepárelo con un tenedor y deje que se enfríe completamente.

Caliente el aceite en el wok precalentado y saltee la cebolleta a fuego medio-alto durante 30 segundos. Añada el arroz y saltéelo durante 1 o 2 minutos. Desplace el arroz a un lado del wok e inclínelo para que el aceite fluya hasta el otro lado. Con el wok todavía inclinado, añada los huevos y cuézalos a fuego medio removiendo sin cesar durante 2 o 3 minutos hasta que estén cuajados. Ponga el wok en posición recta, eche el cilantro y mezcle el arroz con los huevos revueltos. Retire el wok del fuego, pero mantenga el arroz caliente dentro.

Para preparar los langostinos y los pimientos, trocee la crema de coco y disuélvala en el agua hirviendo. Caliente la mitad del aceite en otro wok precalentado, eche la guindilla y la cebolleta y saltéelo todo a fuego medio-alto 1 o 2 minutos. Incorpore los langostinos, la pasta de coco, el zumo de limón, la albahaca troceada y la salsa de pescado y llévelo a ebullición removiendo de vez en cuando.

Caliente el resto del aceite en una sartén pequeña, eche el pimiento rojo y saltéelo a fuego vivo durante 1 o 2 minutos. Agregue los pimientos a los langostinos y sírvalo enseguida con el arroz frito con huevo y decorado con ramitas de cilantro.

Sugerencia:

Reparta el arroz en 4 moldes para soufflé forrados con papel vegetal, presiónelo y dele la vuelta a los moldes para servir el arroz en forma de timbal.

Cerdo asado rojo y fideos con pimientos

Chad guay taiw moo dang

La pasta de curry rojo proporciona un intenso sabor picante y especiado al tierno filete de cerdo, que se corta en lonchas y se sirve encima de un salteado de fideos de huevo aderezados con el sabor dulce de los pimientos y el intenso aroma de la pimienta.

Para 2 personas

- 1 cucharada de pasta de curry rojo
- 2 cucharadas de salsa de soja
- 350 g de lomo de cerdo en una pieza
- 225 g de fideos de huevo finos
- 2 cucharadas de aceite de cacahuete o aceite vegetal
- 1 cebolla roja picada
- 1 trozo de jengibre de unos 2,5 cm pelado y picado
- 1 diente de ajo picado
- 1 pimiento amarillo sin semillas troceado
- 1 pimiento rojo sin semillas troceado
- 1 cucharada de pimienta
- 1/2 puñado de cebollino cortado
- 1 puñado de cilantro picado

Mezcle la pasta de curry y la salsa de soja en un bol y esparza la mezcla sobre la carne de cerdo. Cúbralo y déjelo adobar en el frigorífico durante 1 hora.

Precaliente el horno a 200 °C y ase la carne de 20 a 25 minutos. Sáquela del horno, cúbrala con papel de aluminio y déjela reposar 15 minutos.

Mientras tanto, cueza los fideos en una olla de agua hirviendo ligeramente salada 4 minutos o según las instrucciones del envase. Escúrralos, enjuáguelos bajo el chorro de agua fría y resérvelos.

Caliente el aceite en el wok precalentado, eche la cebolla, el jengibre y el ajo y saltéelo a fuego medio-alto durante 1 o 2 minutos. Añada el pimiento amarillo, el rojo y la pimienta y saltee la mezcla durante 2 o 3 minutos hasta que los pimientos estén tiernos. Incorpore el cebollino y casi todo el cilantro.

Agregue los fideos a los pimientos y mézclelo todo bien. Repártalo en 2 platos. Corte la carne en lonchas y colóquelas sobre los fideos. Esparza el cilantro restante y sirva el plato enseguida.

Pastelitos de pescado con arroz al coco

Tod man pla gap cow krati

Para 4 personas

Para los pastelitos de pescado:

450 g de filete de pescado blanco sin piel y troceado

6 cebolletas picadas

1-2 cucharadas de pasta de curry rojo

1 cucharada de salsa de pescado tailandesa

2 claras de huevo

aceite de cacahuete o aceite vegetal

Para el arroz al coco:

2 cucharadas de aceite de cacahuete o aceite vegetal

1 cebolla picada

225 g de arroz jazmín

400 ml de leche de coco

1 cucharada de pasta de curry rojo

1 cucharada de salsa de pescado tailandesa

1 puñado de cilantro fresco picado

1 lima troceada para servir

salsa de guindilla dulce para servir (opcional)

La pasta de los pastelitos de pescado es rápida y fácil de preparar, pero lleva tiempo darle forma y cocinarla. Puede servir los pasteles con salsa de guindilla dulce, sin el arroz, como entrante.

Para preparar los pastelitos de pescado, mezcle todos los ingredientes, excepto el aceite, en el robot de cocina hasta obtener una pasta gruesa. Humedézcase las manos y forme 12 pequeños pasteles con la pasta. Cúbralos y déjelos enfriar en el frigorífico durante 30 minutos.

Para preparar el arroz al coco, caliente el aceite en el wok precalentado, eche la cebolla y saltéela a fuego medio-alto durante 2 minutos. Incorpore al arroz y saltéelo durante 30 segundos hasta que quede impregnado de aceite. Eche la leche de coco, la pasta de curry y la salsa de pescado y llévelo todo a ebullición removiendo de vez en cuando. Baje el fuego y prosiga con la cocción entre 10 y 15 minutos hasta que el arroz esté tierno, añadiendo un poco de agua hirviendo o caldo si es necesario. Agregue el cilantro.

Mientras tanto, caliente el aceite suficiente para cubrir la base de una sartén grande y dore los pastelitos de pescado, en tandas, a fuego medio por ambos lados. A continuación, retírelos de la sartén con una espumadera, déjelos escurrir sobre papel de cocina y manténgalos calientes mientras fríe los demás.

Reparta el arroz en platos, coloque algunos pasteles de pescado encima y sírvalo con los trozos de lima y la salsa de guindilla dulce.

Arroz con guindilla y ternera salteada

Cow phad nue prik

Para 4 personas

Para el arroz con guindilla:

2 cucharadas de aceite de cacahuete o aceite vegetal

5 cebolletas picadas

50 g de judías verdes de la variedad bobby partidas por la mitad

2 guindillas rojas sin semillas en rodajas

225 g de arroz basmati

600 ml de caldo de ternera

Para la ternera salteada:

2 cucharadas de aceite de cacahuete o aceite vegetal

1 cebolla en gajos

1 pimiento verde sin semillas troceado

1 trozo de jengibre fresco de unos 2,5 cm pelado y picado

350 g de filete de ternera en tiras

6 cucharadas de salsa de ostras

2 cucharadas de salsa de soja

1 cucharadita de azúcar de palma

1 puñado de cilantro picado

El jengibre le da a la ternera un delicioso y potente aroma y, servida con el arroz con guindilla resulta una combinación ideal para los amantes de los sabores fuertes. Un buen vino tinto es ideal para servir con este plato.

Para preparar el arroz con guindilla, caliente el aceite en el wok precalentado, eche la cebolleta, las judías verdes y la guindilla y saltéelo todo a fuego medio-alto durante 1 o 2 minutos. Incorpore el arroz y prosiga con la cocción durante 2 o 3 minutos más. Vierta el caldo y lleve todo a ebullición, removiendo de vez en cuando. Baje el fuego y continúe con la cocción a fuego lento entre 10 y 15 minutos hasta que el arroz esté tierno, añadiendo más caldo si fuera necesario.

Para preparar la ternera salteada, caliente el aceite en otro wok precalentado, eche la cebolla, el pimiento verde y el jengibre y saltéelo todo fuego medio-alto durante 30 segundos. Añada la ternera y saltéela a fuego vivo durante 1 o 2 minutos hasta que se dore.

Incorpore la salsa de ostras, la de soja y el azúcar prosiga con la cocción durante 2 o 3 minutos más. Sirva el plato acompañado con el arroz con guindilla y con el cilantro esparcido por encima.

Sugerencia:

Para dar color y un toque crujiente al salteado, parta unas mazorquitas por la mitad y échelas al wok junto con la cebolla, el pimiento verde y el jengibre.

Laksa de calamares y langostinos

Tom ka talay

Para 4 personas

225 g de fideos de arroz

700 ml de leche de coco

2 pastillas de caldo de pescado

3 hojas frescas de lima kafir

2 cucharadas de pasta de curry rojo

1 manojo de cebolletas troceadas

2 guindillas rojas frescas sin semillas y troceadas

225 g de calamares en anillas

225 g de langostinos pelados y sin el hilo intestinal

1 puñado de cilantro picado, más unas hojas para decorar

En la mayoría de las pescaderías le limpiarán los calamares, si lo pide, por lo que los tendrá listos para usar, lo que ahorrará mucho tiempo a la preparación de este plato.

Sumerja los fideos en una olla de agua hirviendo ligeramente salada, cúbralos y deje que se hagan durante 4 minutos o según las instrucciones del envase. Escúrralos, enjuáguelos bajo el chorro de agua fría y resérvelos.

Ponga la leche de coco, las pastillas de caldo, las hojas de lima, la pasta de curry, la cebolleta y la guindilla en una olla y llévelo todo a ebullición, removiendo de vez en cuando. Baje el fuego y prosiga con la cocción, removiendo de vez en cuando, durante 2 o 3 minutos más hasta que las pastillas de caldo y la pasta de curry se hayan disuelto. Añada los calamares y los langostinos y cuézalos durante 1 o 2 minutos. A continuación, agregue los fideos hervidos y el cilantro y mézclelo todo bien. Sírvalo enseguida en boles decorado con hojas de cilantro.

Sugerencia:

Puede encontrar hojas de lima kafir secas, pero las frescas proporcionan un mayor sabor y además pueden congelarse, por lo que las tendrá frescas y listas para usar cada vez que las necesite.

Curry de pollo con fideos fritos

Gang gai mee grob

Para 4 personas

2 cucharadas de aceite de cacahuete o aceite vegetal, más la cantidad necesaria para freír

4 pechugas de pollo deshuesadas sin piel, de unos 120 g cada una, cortadas en dados de 2,5 cm

2 cebollas rojas troceadas

5 cebolletas troceadas

2 dientes de ajo picados

1 guindilla verde sin semillas picada

175 g de setas shiitake en láminas gruesas

2 cucharadas de pasta de curry verde

400 ml de leche de coco

300 ml de caldo de pollo

2 hojas de lima kafir

1 puñado de cilantro picado

1 puñado de cebollino troceado

25 g de fideos de arroz finos

arroz blanco para acompañar

Los fideos de arroz se hinchan de manera sorprendente cuando se fríen en aceite, lo que resulta muy divertido para los niños —eso sí, siempre que lo observen desde una distancia prudente—, pero vigile porque se hacen en cuestión de segundos.

Caliente el aceite en el wok precalentado y saltee los dados de pollo, en tandas, a fuego medio-alto entre 3 y 4 minutos hasta que estén ligeramente dorados por todos los lados. A continuación, retírelos del wok con una espumadera y déjelos escurrir sobre papel de cocina.

Eche la cebolla, la cebolleta, el ajo y la guindilla al wok y saltéelo todo a fuego medio 2 o 3 minutos, sin dejar que se dore demasiado. Incorpore las setas shiitake y prosiga con la cocción a fuego vivo durante 30 segundos. Vuelva a poner el pollo en el wok.

Añada la pasta de curry, la leche de coco, el caldo y las hojas de lima y llévelo todo a ebullición, removiendo de vez en cuando.

Baje el fuego y deje que se haga a fuego lento entre 4 y 5 minutos. Añada el cilantro y el cebollino.

Mientras tanto, caliente aceite abundante en otro wok a 180 o 190 °C o hasta que un dado de pan se dore en 30 segundos. Divida los fideos en 4 y fríalos por tandas durante unos 2 segundos hasta que se hinchen y estén crujientes. A continuación, retírelos con una espumadera y déjelos escurrir sobre papel de cocina.

Si lo desea, puede acompañar el curry con arroz y con los fideos crujientes por encima.

Kebab picantes de pollo con arroz al cilantro

Gai kebab gao cow

Para 4 personas

Para los kebab de pollo:

3 cucharadas de salsa de ostras

2 cucharadas de salsa de soja, más un poco para servir

1 trozo de jengibre de unos 2,5 cm pelado y picado

4 cucharadas de miel

2 cucharaditas de azúcar moreno

2 cucharaditas de harina de maíz

4 pechugas de pollo deshuesadas sin piel, de unos 120 g cada una, cortadas en dados de 2,5 cm

2 pimientos rojos sin semillas cortados en dados de 2,5 cm

Para el arroz de cilantro:

2 cucharadas de aceite de cacahuete o aceite vegetal

6 cebolletas picadas

225 g de arroz jazmín

600 ml de caldo de pollo

120 g de pak choi cortado en trozos irregulares

120 g de hojas de espinacas pequeñas

1 puñado grande de cilantro picado

Para conseguir la textura ideal, dore el pollo a la plancha y termine de asarlo en el horno. La miel le aportará un toque dulce y la consistencia deseada.

Ponga 8 brochetas de bambú en remojo en agua fría durante 30 minutos como mínimo.

Para preparar los kebab, mezcle en un cuenco todos los ingredientes, excepto el pollo y el pimiento rojo. Añada los dados de pollo y remueva bien. Cúbralo y déjelo reposar en el frigorífico durante 2 horas.

Precaliente el horno a 190 °C. Ensarte el pimiento y los dados de pollo alternativamente en las brochetas. Caliente una plancha y ase las brochetas a fuego vivo durante 3 o 4 minutos, o hasta que estén doradas por todos los lados. Disponga los pinchos en una bandeja y hornéelos en el horno precalentado entre 10 y 12 minutos hasta que se acaben de asar.

Mientras tanto, para preparar el arroz al cilantro, caliente el aceite en el wok precalentado, eche la cebolleta y saltéela a fuego medio-alto durante 30 segundos. Incorpore el arroz y saltee la mezcla durante 2 o 3 minutos más. Vierta el caldo y llévelo todo a ebullición, removiendo de vez en cuando. Baje el fuego y cueza la mezcla a fuego lento entre 10 y 12 minutos hasta que el arroz esté tierno, añadiendo más caldo o agua hirviendo si fuera necesario. Incorpore el pak choi, las espinacas y el cilantro y continúe con la cocción durante 1 o 2 minutos más, sin dejar de remover, hasta que hayan perdido volumen.

Reparta el arroz en platos y coloque los kebab de pollo encima con un poco de salsa de soja.

Arroz con verduras de primavera

Khao pat puk

Para 4 personas

2 cucharadas de aceite de
cacahuete o aceite vegetal

2 chalotes picados

2 dientes de ajo majados

225 g de arroz basmati

600 ml de caldo de pollo

1 cucharada de pasta de curry rojo

1 cucharadita de salsa de pescado
tailandesa

3 cucharadas de salsa de soja

175 g de mazorquitas de maíz
cortadas por la mitad a lo largo

120 g de zanahorias pequeñas
partidas por la mitad a lo largo

50 g de guisantes

50 g de brotes de soja

4 cucharadas de semillas de sésamo

1 puñado de cilantro picado

2 cucharadas de aceite de sésamo

Una cena rápida, fácil e ideal para las primeras veladas de la primavera, pues es a principios de esta estación del año cuando encontraremos estas verduras en tamaño mini. También puede añadir espárragos a esta combinación.

Caliente el aceite en el wok precalentado y saltee el chalote y el ajo a fuego medio-alto durante 1 o 2 minutos. Incorpore el arroz y saltee la mezcla durante 2 o 3 minutos más. Eche el caldo, la salsa de pescado, la de soja la pasta de curry y llévelo todo a ebullición, removiendo de vez en cuando. Baje el fuego y prosiga con la cocción a fuego lento entre 10 y 12 minutos hasta que el arroz esté tierno, añadiendo más caldo o agua hirviendo si fuera necesario.

Mientras tanto, cueza las mazorquitas y las zanahorias en una olla de agua hirviendo ligeramente salada durante 2 o 3 minutos hasta que estén tiernas. Añada los guisantes y continúe con la cocción durante 1 minuto más. Por último, incorpore los brotes de soja, mézclelo bien y escúrralo.

Tueste las semillas de sésamo en una sartén precalentada entre 30 y 45 segundos.

Añada las verduras escurridas, el cilantro y el aceite de sésamo al arroz y sírvalo enseguida, después de esparcir unas semillas de sésamo tostadas por encima.

Índice